ACHOS

Grahame Davies

Cyhoeddiadau Barddas
2005

Cyhoeddiadau Barddas 2005

ⓗ Grahame Davies
Argraffiad Cyntaf – 2005

ISBN 1 900437 74 0
9 781900 437745

*Cyhoeddwyd gyda chymorth ariannol
Cyngor Llyfrau Cymru.*

Cyhoeddwyd gan Gyhoeddiadau Barddas
Argraffwyd gan Wasg Dinefwr, Llandybïe

I'm rhieni â diolch

DIOLCHIADAU

Ymddangosodd nifer o'r cerddi hyn yn *Barddas*. Yn ogystal, fe gomisiynwyd 'Y Cymoedd' gan S4C ar gyfer y rhaglen deledu *Dros Gymru*, a ddarlledwyd ddechrau 2004; enillodd 'Margaret Payne' gystadleuaeth y Soned yn Eisteddfod Genedlaethol Casnewydd 2004, gan ymddangos gyntaf yn y *Cyfansoddiadau*; ymddangosodd 'Y Mynyddoedd' yn *Ffiniau/Borders* (Gwasg Gomer, 2002); comisiynwyd 'Llwyd' gan Ganolfan Mileniwm Cymru i nodi gosod carreg sylfaen yr adeilad hwnnw ym Mae Caerdydd yn Ionawr 2003; comisiynwyd 'Calan Gaeaf', 'Calan Haf' a 'Bendith' gan yr Academi ar gyfer *Cerdd Fawr Caerdydd*; ymddangosodd 'Bws Rhif 62' a 'Bore Sul y Pasg, Miami Beach' yn *Taliesin*; comisiynwyd 'Creawdwr' a 'Cystadleuydd' fel rhan o gyfres ddwyieithog gan y Tywysog Charles fel rhodd i Eisteddfod Gydwladol Llangollen yng Ngorffennaf 2003; comisiynwyd 'Cydwybod' gan Garry Owen fel teyrnged i'w dad-yng-nghyfraith, Peris Walters; cyhoeddwyd 'Yn Genedl Drachefn', cyfieithiad o'r gân Wyddelig adnabyddus 'A Nation Once Again', yn *Cambria*; comisiynwyd 'Cyfannu' fel rhan o *festschrift* er anrhydedd i'r Athro M. Wynn Thomas ar achlysur ei ben-blwydd yn drigain oed, gan ymddangos yn *Beyond the Difference: Welsh Literature in Comparative Contexts, Essays for M. Wynn Thomas at Sixty* (Gwasg Prifysgol Cymru, 2004). Hoffwn ddiolch yn fawr i'r gwahanol gyrff a'r unigolion am eu comisiynau, i'r golygyddion am eu cyhoeddi yn y lle cyntaf, ac am ganiatâd i'w cynnwys yn y casgliad hwn. Carwn ddiolch yn arbennig i Alan Llwyd am ei gefnogaeth drwy Gyhoeddiadau Barddas, ac am lywio'r gyfrol hon drwy'r wasg gyda'i ofal a'i drylwyredd arferol.

CYNNWYS

CERDDI
CAERDYDD

GYRFA BARDD

Dechreuais yn y Cymoedd ym mil naw wyth deg saith
yn galarnadu'r pylloedd a chyni'r fro ddi-waith,
gan ennill peth amlygrwydd, a dirnad bod y ddawn
i leisio anghyfiawnder yn un ddefnyddiol iawn.

Ac yn y man cael gwobrau a gwahoddiadau lu
i sôn am ein hargyfwng, ein dioddefaint du,
yng Nghymru ar y dechrau, ond buan iawn y daeth
y gwahoddiadau tramor i farwnadu'r iaith.

Esboniais i ym Moscow y stad o fod dan draed,
yn Cape Town mi ddinoethais y gormes yn ein gwaed.
Crwydrais y pum cyfandir a'm dicter i fel fflam –
i Iddew ac i Arab dangosais beth yw cam.

Melltithiais ein caethiwed – mewn parti yn *Paris*;
ceryddais ein gormeswyr – wrth deithio'r Caribî.
Eglurais erchyllterau ein holl gystuddiau blin
wrth bobl Efrog Newydd – dros ambell ddracht o win.

Yr un yr ofnadwyaeth ymhob rhyw fan a lle,
yn Rhufain neu yn Rio, yn Lhasa neu L.A.
Waeth beth yw drygau'r henwlad, waeth pa mor
    chwerw'i chri,
bu'r cyflwr gorthrymedig yn llesol iawn – i mi.

ABERCANNA

Pan fwyf yn hen a pharchus,
ac arian yn fy nghod,
a dim o fewn fy acen
i ddweud o ble'r wy'n dod,
mi wariaf hanner miliwn
i brynu un o'r tai
ger caeau gwyrdd Pontcanna
neu ddyfroedd llyfn y Bae.

Pan fwyf yn hen a pharchus
a hyder yn fy hynt,
a minnau'n amddiffynnol
o'r hyn a wawdiwn gynt,
bydd cysur im bryd hynny
wrth fyw yn un o'r tai
ger caeau gwyrdd Pontcanna
neu ddyfroedd llyfn y Bae.

Pan fwyf yn hen a pharchus,
heb deimlo tynfa'r tir,
pan nad yw bro fy mebyd
yn fwy na llun ar fur,
tawelaf fy nghydwybod,
wrth feddwl fel'na mae
ger caeau gwyrdd Pontcanna
a dyfroedd llyfn y Bae.

Oblegid ni chaf yno,
ymhell o boenau'r byd,
yr un cyhuddiad chwerw
i herio 'mywyd clyd,
nac adlais o'r hen angerdd,
wrth fyw yn un o'r tai
ger caeau gwyrdd Pontcanna
a dyfroedd llyfn y Bae.

YN WREIDDIOL

Mae'r Cymry yn mynd ar fy nerfau,
yn holi'r un cwestiwn bob tro,
nid beth yw dy waith, na dy hoff fiwsig chwaith
ond beth oedd – yn wreiddiol – dy fro.

'Dwi wedi hen flino ar ateb
cwestiynau busneslyd bob dydd.
Paid â bod mor bersonol, fy nghyfaill brogarol,
jyst derbyn – 'dwi'n byw yng Nghaerdydd.

Gad fi fod, jyst gad fi fod.
Pam fod angen holi o ba le 'dwi'n dod.
Pa ots os o Lanelli neu o Gemmaes Road,
'dwi yma'n y ddinas, felly gad fi fod.

Os byddaf mewn bar yn y ddinas,
yn ceisio mwynhau peintan bach,
o glywed fy acen, fe fydd 'na ryw joskin
yn holi am fy nawfed ach.

Pob parch i'ch brogarwch chi, frodyr,
mae gwreiddiau yn bwysig i chi,
ond jyst triwch ddeall, i mi mae fel arall,
y ddinas yw fy henfro i.

Gad fi fod, jyst gad fi fod.
Pam fod angen holi o ba le 'dwi'n dod.
'Dwi'n dioddef o ymberthyn-overload.
'Dwi yma'n y ddinas, felly gad fi fod.

Mae 'nghychwyn i yn y gorffennol.
Chi jyst ddim yn deall y drefn.
Dyna pam, frodyr, y gelwir e'n gefndir,
sef y tir i droi arno dy gefn.

Paid â thrio holi fy mherfedd,
paid â thrio fy rhoi yn fy lle.
Mae mwy i bob Cymro na gwreiddiau neu henfro,
Mae dyn yn fwy na'i DNA.

Gad fi fod, jyst gad fi fod.
Pam fod angen holi o ba le 'dwi'n dod.
Dim ots os o balas neu o fferm ddi-nod.
'Dwi yma'n y ddinas, felly gad fi fod.

BRO

Problem y Gymru wledig,
mi glywais lawer tro,
yw sut i gael brodorion
i aros yn eu bro.

Nid cynt y cânt eu haddysg,
ac ambell Lefel A,
ond ffwrdd â nhw i'r ddinas,
fel pe bai'r wlad dan bla.

Gan droedio i Dreganna
i flasu'r bywyd braf
a gadael tai yr henfro
i'r hen, y Sais a'r claf.

Wel, yn y Gymru Newydd
does dim rhaid dioddef mwy –
mae gennym y dechnoleg
i'w cadw yn eu plwy.

Na, nid ffatrïoedd newydd
na swyddi lleol chwaith,
ond tagio electronaidd
i rwystro unrhyw daith.

Eu tagio yn yr ysgol,
cyn iddynt groesi'r ffin –
os ceisiant adael Gwynedd
cânt drydan 'fyny'r tin.

Ni chân nhw werthu'u cartref,
na cheisio bywyd gwell.
Gan ofni'r sioc drydanol
ni feiddiant grwydro'n bell.

Mae gennym enw bachog
i'n cynllun newydd llym –
meddyliwn mai 'Big Bro-dir'
a wnaiff y tro i'r dim.

CYSGOD

Mae'r chwyldro wedi dod i'n plith.
Y chwyldro – ond y chwyldro o chwith
yn trawsnewid yn raddol hen strydoedd Caerdydd.

Nid y werin yw hyn yn chwalu'r hualau
gan godi fel un i feddiannu'r palasau
a throi tai'r crachach a'u holl drigfannau
yn ystafelloedd darllen i'r bobl ddi-waith;
nid meithrinfeydd i blant gwerin y graith
na chanolfannau hyfforddiant i famau sengl chwaith.
Nid yw cysgod y cryman yn awr yn syrthio
dros strydoedd coediog Llysfaen a Rhiwbeina.

Na, y rhai goludog sy'n meddiannu cartrefi
dosbarth gweithiol y Rhath ac Ely,
cymuned yn brae i'r ddawn o brynu,
a strydoedd cyfain yn nwylo'r cyfryngi.

Lle bu teuluoedd clòs a hwyliog,
fe gaiff mewnfudwr *apartment* sgleiniog,
heb angen 'nabod yr un cymydog.
Yr hen dai teras, yr hen dai cyngor
drwy law'r cyfoethog yn cael *makeover*,
na, nid ymdoddi yw hyn, mae hyn yn *takeover*.

Allan â'r brodorion a'u soffas ffôm,
eu papurau rasio, eu cadeiriau *chrome*,
eu 'Crying Boys', eu 'Home Sweet Home',
eu cwrw cartref, eu *TV Times*,

baneri *Bluebirds*, llyfr *True Crimes*,
eu Escorts rhydlyd, eu gerddi mwdlyd,
eu cŵn cyfarthog, eu plant bach pwdlyd.

Ac yn eu lle dyma'r dosbarth canol –
eu *Independents*, eu gwinoedd dethol,
eu sioeau hwyr ar deledu digidol,
eu Classic FM, eu gwaith celf gwreiddiol,
eu *croissants* Ffrengig – braster isel –
eu sesiynau *reiki*, eu Saabs mawr diesel.
Eu *recessed lighting*, eu lloriau *laminate*,
eu dodrefn cŵl, o siop Bo Concept,
eu *Celestine Prophecies*, eu *South Beach Diet*.

Ac yn y stryd, nid siop peis Clarks,
nid swyddfa'r bwci, nid dillad Marks,
ond bwytai egsotig, dillad Siola,
boutiques yn llawn o *objets d'art*,
a'r siopau coffi sy'n malu'r ffa
a *patisseries* chic ar bob cornel fel pla.

A thros ardaloedd Sblot a Grangetown
mae'r chwyldro hwn yn llwyddo'n llawn;
nid ofnwn mwyach gysgod y cryman –
ond does dim ffoi rhag cysgod y *croissant*.

MEGIS LLEIDR

Daeth Crist yn ôl i Gymru, yn dawel fel y gwlith,
i rannu'i neges oesol yn unswydd yn ein plith.
Bu croeso mawr, wrth reswm, a mawr fu'r disgwyl maith
i glywed beth a ddwedai y duwdod – am Yr Iaith.

A disgwyl fu . . . a disgwyl, ond siom a ddaeth i'n gwlad,
mai sôn a wnaeth am nefoedd, maddeuant a iachâd.
'Iawn, iawn,' dywedsom wrtho, 'Mi glywsom lawer gwaith
am heddwch a chyfiawnder – ond nawr beth am Yr Iaith?'

A soniodd am y tlodion ar draws y Trydydd Byd,
ac fel y mae ein ffordd o fyw i'r rhain yn costio'n ddrud.
Ac wrth i'r wasg ei holi – mae'n warthus, ond mae'n ffaith –
ni soniodd air am gwestiwn mwyaf Cymru – sef Yr Iaith.

Ceryddodd ein crefyddwyr â fflangell yn ei lais,
fe sgwrsiodd â'r digartref, iachaodd was rhyw Sais,
a sawl gweithgaredd arall, lawn cymaint mor ddi-chwaeth,
heb ddweud drwy'r holl brysurdeb 'run frawddeg am
    Yr Iaith.

Rhyw swnian am drugaredd, a iechydwriaeth rad,
a ffwlbri am ryw groeso geir draw yn nhrigfannau'i dad.
Mae'n anodd gweld pa ddiben oedd ganddo dros ei daith
os nad oedd ganddo rywbeth call i'w ddweud ynghylch
    Yr Iaith.

A phan y'i croeshoeliasom, ar fryn uwchben y dref,
gosodwyd arwydd amlwg i nodi'i drosedd ef,
a hwnnw'n un dwyieithog – a dyna gysur im
oedd sicrhau cyfiawnder i'r Heniaith, er pob dim.

SYLFEINI

O'r eglwys anghofiedig yn y parc,
   dim ond y seiliau sydd i'w gweld yn awr,
a'r unig dyst i'w chrefydd adael marc
   yw siâp y groes mewn briciau coch ar lawr.
Bob tro y deuaf yma teimlaf gic –
   nid oes a wnelo hyn â chroes na ffydd –
ond am y gwelir stamp '*Ruabon Brick*'
   ar seiliau'r adfail yma yng Nghaerdydd.
Pa saint ymadawedig 'roddodd bres
   mewn gobaith duwiol am ddyfodol gwell
i ddod â theyrnas nefoedd gam yn nes
   mewn briciau coch o'r gogledd-ddwyrain pell?
Ni wn. Ond gwefr i minnau'r alltud yw
gweld gwneud o glai Sir Ddinbych gartref Duw.

CYMRU RYDD DROFANNOL

*(Hyd yn gymharol ddiweddar, roedd graffiti ar wal yn Stryd Bute,
Bae Caerdydd, yn darllen 'Independent Tropical Wales'.)*

I lawr yn y dociau yn ninas Caerdydd
roedd 'na graffiti ar y muriau –
ac roedd gen i freuddwyd y gwelwn ryw ddydd
fod 'na wirionedd yn y geiriau.

Tyrd yn awr allan o'r glaw,
mae 'na ffordd 'mlaen tua'r dyfodol.
Tyn dy hun allan o'r baw,
awn ni i'r Gymru Rydd Drofannol.

Maen nhw wedi mynnu eu sgwrio i gyd,
am fod y geiriau'n lleisio'n gobaith –
ond mae pawb a'u darllenodd yn cofio o hyd
– doedd ond angen gweld y neges unwaith.

Tyrd yn awr, gadael dy fraw,
mae 'na ffordd 'mlaen tua'r dyfodol.
Tyrd ymlaen, dyro dy law,
awn ni i'r Gymru Rydd Drofannol.

Felly ni fydd ystormydd i siglo ein ffydd,
dim ond yr haul yn ei dangnefedd,
ac ni fydd gaeafau ar strydoedd Caerdydd
– ar ôl inni newid y tymheredd.

Tyrd yn awr, edrych fan draw,
mae 'na ffordd 'mlaen tua'r dyfodol.
Tyrd ymlaen, i'r dydd a ddaw,
awn ni i'r Gymru Rydd Drofannol.

Y *CAPITAL BOOKSHOP,*
ARCÊD MORGAN, CAERDYDD

Hen gyfrol glapiog wedi colli'i chlawr:
Ac ar y ddalen gynta'r geiriau hyn:
'Daeth Rhys â hon a gadael gyda'r wawr'.

Barddoniaeth Belloc: un o'r enwau mawr
flynyddoedd maith yn ôl – ond nawr? Go brin.
Hen gyfrol glapiog wedi colli'i chlawr.

A dim i ddal eich sylw chi heblaw'r
cofnod awgrymog ar y papur crin:
'Daeth Rhys â hon a gadael gyda'r wawr'.

Rhoi anrheg; aros noson; mynd. Wel, nawr:
a oedd hi'n ei ddisgwyl, neu oedd hi'n syn?
Hen gyfrol glapiog wedi colli'i chlawr:

Rhyw ffarwel swil, a'u llygaid am i lawr?
Neu angerdd wrth i'r dwylo gydio'n dynn?
'Daeth Rhys â hon a gadael gyda'r wawr'.

Hen gariad coll, a dim ar ôl o'i sawr
heblaw, ar silff y siop, i'r neb a'i myn,
hen gyfrol glapiog wedi colli'i chlawr:
'Daeth Rhys â hon a gadael gyda'r wawr'.

SIOP LYFRAU AIL-LAW OXFAM
HEOL YR EGLWYS FAIR, CAERDYDD

Nid dyma'r math o lyfr a brynaf i
fel arfer – un bwrdd-coffi, sgleiniog, drud;
o leia' drud yn wreiddiol. Dyma hi:
'*Your Dreams Can Give the Answers that You Need*'.
Nid un i silff y llengar: cyfrol fas,
llawn lluniau mawr a damcaniaethau ffôl;
ond edrych, ar yr wyneb-ddalen las:
'Elliw, ein hunig freuddwyd, tyrd yn ôl'.
Llofnodion 'Mam a Dad', ac enw'r fro,
a'r dyddiad – Arglwydd, dim ond deunaw mis
yn ôl. Ni fu'r dihangydd fawr o dro
cyn rhoi eu llatai lliw i ffwrdd, heb bris.
Prynaf, am ddwybunt, felly, anrheg serch:
rhof gartref eto i'r llyfr, os nad i'r ferch.

AR FWS CYNNAR I LANDAF

Caeodd ei chyfrol â thynerwch mawr,
y ferch gyferbyn ar y bws i'r gwaith,
a chyda'i bysedd main anwesu'r clawr.

Myfyrwraig wrth ei dillad hi, a'r sawr
patchouli a'i dilynodd ar ei thaith.
Caeodd ei chyfrol â thynerwch mawr,

gan droi'r dudalen olaf gyda'r wawr
– a chloc y ddinas newydd daro saith –
a chyda'i bysedd main anwesu'r clawr.

Ffrind o'i phlentyndod? Hen gyfarwydd nawr?
Neu'r profiad cyntaf gyda meistr iaith?
Caeodd ei chyfrol â thynerwch mawr.

Pa ddewin geiriau a'i hudodd hi? Pa gawr
llenyddol? Dal ei llyfr yn dyner wnaeth,
a chyda'i bysedd main anwesu'r clawr.

Does ond dyfalu. Mae hi'n edrych lawr,
â hanner gwên, a chyda llygaid llaith.
Caeodd ei chyfrol â thynerwch mawr,
a chyda'i bysedd main anwesu'r clawr.

BWS RHIF 62

Tybiais am eiliad imi darfu ar eu sgwrs,
y fyfyrwraig ifanc a'r dyn canol oed o Affrica,
wrth imi eistedd yn eu hymyl ar y bws i Landaf,

nes imi sylwi mai stryd unffordd oedd llif ei eiriau ef,
ac mai syllu heibio iddo a wnâi hithau
wrth iddo fwydro am Iesu, Duw a thragwyddoldeb.

Y nytar ar y bws.
Yn un plygeiniol, mae'n wir,
yn rhannu'i weledigaethau gyda'r gweithwyr swyddfa
a'r genod o Ysgol Glan Taf,
ond yn barablus ddigwmni fel pob un o'i fath.

Ond gan na ddisgwyliai ymateb,
hawdd oedd imi ymglywed â llifeiriant ei eiriau,
ymgolli yn rhythmau'r Llyfr Gweddi, a'r Salmau,
wrth i'w acen ddofn raffu
un adnod ar ôl y llall
fel stribed di-dor o docynnau bws i dragwyddoldeb.

Waeth pa lanastr a wnaeth salwch,
neu ddiod, neu gemegion,
i gelloedd meddwl hwn,
roedd ceinder y geiriau'n ddilychwin o hyd,

a phan gododd i adael ar bwys y gadeirlan,
gan suo–ganu
'*People not things. People not things.*
That's what matters in eternity',
cedwais achubiaeth ei eiriau'n ddiogel
ym mhoced fewnol fy nghôt,
fel tocyn dychwelyd.

DIRGELEDDAU

(I Manon Rhys a T. James Jones ar eu priodas, Pasg 2003.)

Mae dŵr hen afon Canna
ymhell o olau dydd
yn sibrwd dan ein strydoedd
fel bendith ddirgel ffydd.

A draw yng nghoed Soffia
fe glywir lleisiau'r dail
yn sisial doethinebau
wrth ailgroesawu'r haul.

Yng nghanol rhuthr dinas
a'i difaterwch llwm
fe gofiant ddirgeleddau
o gefn-gwlad ac o'r cwm:

bod Pasg yn drech na gaeaf,
a phan fo dau'n gytûn,
y ceir cyfanswm cariad
sy'n fwy nag un ac un.

LLWYD

Llwyd yw'r pethau sy'n goroesi i gyd:
ar derfyn dydd, cymylau uwch y glyn.
Mae'r rhain yn aros, er pob newid byd.

Y llanw'n llenwi'r harbwr ar ei hyd,
y cen ar greigiau'r chwarel ar y bryn.
Llwyd yw'r pethau sy'n goroesi i gyd:

cyfnos y cwm yn disgyn fesul stryd,
y glaw sy'n sgleinio ar y llechi tynn.
Mae'r rhain yn aros, er pob newid byd.

Y niwl sy'n cuddio creithiau'r gweithfeydd mud,
a lludw'r aelwyd lle bu'r fflamau 'nghynn.
Llwyd yw'r pethau sy'n goroesi i gyd:

Y môr a gariodd gyfoeth gwlad yn fflyd,
gwylan sy'n hedfan uwch y glannau hyn.
Mae'r rhain yn aros, er pob newid byd.

Y cartref sydd o ddur a maen ynghyd,
o'i greu o ddüwch ac o olau gwyn.
Llwyd yw'r pethau sy'n goroesi i gyd.
Mae'r rhain yn aros, er pob newid byd.

CALAN GAEAF

Fe aiff i deithio, fy enaid, lawer noson,
wedi i fwyell cwsg ei dorri'n rhydd,
ac ail-ymweld â'r porthladd hwn a'i siapiodd,
a chrwydro'r strydoedd tywyll drwy Gaerdydd.

Tafarnau llonydd lle bu'r gân yn llifo,
ar ddiwrnod gêm, a'r Cymoedd wedi dod;
eglwysi gothig hanner-anghofiedig
tu ôl i swyddfeydd disglair Newport Road.

Y coridorau gwag uwch Sgwâr Mount Stuart,
a'r bariau sgleiniog newydd yn y Bae;
y llwybrau cudd cyfarwydd i frodorion,
y siopau *South Wales Echo* wedi cau.

Mae'n mynd mor aml 'nôl i'w hen gynefin
ar ôl i gwsg ei ollwng ef o'i gell;
ni fedrwn ddianc, hyd yn oed pe mynnwn,
fy ninasyddiaeth anweledig bell.

CALAN HAF

Mae'r haul uwch Bae Caerdydd ar ei anterth
ac mae Cŵl Cymru'n toddi yn y gwres;
y Saabs heb do yn sgleinio, yn diflannu,
pob siwt dri-chan-punt yn ei diosg ei hun,
yn treulio fel dilledyn,
y sbectol haul Gucci yn gwingo,
yn fflachio'n ddim,
y ffonau symudol yn symud i ddifancoll,
y cardiau busnes yn cyfnewid dwylo â diddymdra,
y cwmnïau digidol yn pwyso'r botwm dileu;
pob platfform aml-gyfrwng,
pob prosiect rhyngweithiol,
pob menter rithwir,
pob dot.com yn tarthu'n derfynol,

gan adael
pob hunan heb gyrhaeddiad,
pob sylwedd heb ei ddelwedd
yn ddiamddiffyn yn yr heulwen braf,
galanas allanolion calan haf.

BENDITH

Na foed i ti hiraethu bod fory'n ddiwrnod gwell,
na foed i ti weld gwynfyd bob tro ar orwel pell.

Na foed i ti'r fath gyfoeth na wyddost sut i roi;
na foed i ti'r fath dlodi na wyddost ble i droi.

Na foed i ti gamdybio mai hon yw'r unig wlad;
na foed i'th dras dy wneud di yn destun dirmyg rhad.

Na foed i deithio d'atal rhag medru perthyn mwy,
na foed i ti gyfiawnder sy'n methu teimlo'r clwy.

Na foed i ti byth farnu wrth groen na gwisg nac iaith,
na foed i neb dy garu am allanolion chwaith.

Na foed i law dy ddala na fyn dy ryddid di,
na foed i neb a'th wêl di dy garu'n llai na mi.

GIANT SPIDER CRAB

Gas gen i bryfed cop,
byth er pan stelciodd y sbidryn cyntaf
i eden fy nhair oed.
A mwya' i gyd y corryn, wrth gwrs,
mwya' i gyd y braw.
Cofiaf, felly, led llathen o ofn
wrth syllu'n chwech oed drwy wydr y cas
yn yr Amgueddfa ym Mharc Cathays,
ar y *Giant Spider Crab.*
Edrychai'n llawer mwy o gorryn nag o granc,
yn anghenfil wythgoes arfog
na ddylasai'r un Creawdwr call fod wedi'i greu.

Dri degawd wedyn,
yr un yw'r ias
wrth i 'mhlant fy hun
syllu gydag anghrediniaeth
ar gymesuredd gwyrdroëdig
yr union un creadur,
a erys,
gydag amynedd afluniaidd,
y tu ôl i'r gwydr brau.

A oes 'na'r fath beth ag ofn cysurlon?
Efallai wir.
Ystyriaf yr arswyd hwn sy'n saff dan wydr
gan feddwl am fy wyrion
a 'ngor-wyrion bychain,
a ddaw, flynyddoedd lawer wedi fy nhranc,
i syllu drwy'r cas gwydr ar y cranc.

DATGUDDIO

Mae'r gaeaf wedi lladd holl wyrddni'r coed
gan agor golygfeydd na fu ar gael
drwy'r haf. Cewch weld yn gliriach nag erioed
nawr bod yr oerfel wedi difa'r dail.
Cuddiwyd cydwybod dinas dan y gwyrdd
sy'n eglur nawr fel sbwriel dan y drain,
nodwyddau, sigaréts ar ochrau'r ffyrdd,
cylchgronau budr, caniau gwag ar daen.
Gad i fy nghuddwisg innau farw'n llwyr
fel dail y gaeaf; gad y rwtsh ar lawr
i gael ei gasglu'n domen gyda'r hwyr
i'w losgi'n lludw llwyd mewn coelcerth fawr,
fel pan ddaw'r gwanwyn eto'n ôl i'r tir,
y'm ceir mor oer â'r gaeaf, ac mor glir.

CERDDI'R CLAWDD

CREAWDWR

(Un bore Sul yn gynnar yn 1945, a'r Ail Ryfel Byd yn ei fisoedd olaf, aeth Harold Tudor allan am dro ar hyd Clawdd Offa ym mhentref ei febyd, Coedpoeth, pan glywodd fab ffarm lleol yn canu cân. Yn yr eiliad honno fe gafodd y weledigaeth o sefydlu'r ŵyl a ddaeth maes o law yn Eisteddfod Gydwladol Llangollen.)

Man cwrdd neu fan cau allan ydyw'r ffin;
â chraith Clawdd Offa'n hollti'r fro yn ddwy,
eiddo pob enaid byw yw dewis p'un.

Ar fore Sul, mynd ar dy ben dy hun
ar hyd y lôn sy'n derfyn gwlad a phlwy';
man cwrdd neu fan cau allan ydyw'r ffin.

Llais gynnau pell y grymusterau blin.
Llais plentyn na ŵyr ddim o'u dicter hwy;
eiddo pob enaid byw yw dewis p'un.

Ac yn y fan, gweld popeth megis llun:
y byd lle na fydd codi arfau mwy,
man cwrdd neu fan cau allan ydyw'r ffin.

Dagrau iachâd sy'n glasu'r erwau crin,
neu'r dicter cyfiawn sy'n coleddu'r clwy',
eiddo pob enaid byw yw dewis p'un.

Y cenedlaethau'n rhannu'r gân fel gwin,
heb feddwl gyntaf pam, na ble, na phwy;
man cwrdd neu fan cau allan ydyw'r ffin.
eiddo pob enaid byw yw dewis p'un.

CYSTADLEUYDD

*(Ymysg y cystadleuwyr yn Eisteddfod Llangollen yn 1949 yr oedd côr
o Luebeck, Yr Almaen, yr Almaenwyr cyntaf i ymweld â Llangollen
ers y rhyfel. Gan bryderu pa dderbyniad a oedd yn eu haros fe'u
cyflwynwyd i'r gynulleidfa gan Hywel D. Roberts, y lladdwyd
ei frawd, Glyn, yn y rhyfel bum mlynedd ynghynt. Fe glwyfwyd
Glyn Roberts yng nglaniadau 'D. Day' ar Fehefin 6, 1944,
a bu farw ar Fehefin 10.)*

Beth feddylien nhw ohonom?
Dyna oedd ein pryder
tu cefn i'r llwyfan yn y dref ddieithr hon
gyda'r enw amhosibl,
a dim ond llen denau
rhwng cenedl a fu, o fewn ein cof,
yn elynion einioes i ninnau –
mintai mewn plethau melyn,
heb arfau ond ein cân.
Arhosem yn ein rhengoedd ufudd
fel dihirod yn disgwyl dedfryd,
gan ei wylio ef, y Cymro nerfus,
yn ymbalfalu am allwedd y geiriau
i ddad-gloi degawd o ddig
yng nghalonnau'i gyd-wladwyr. A'u cael:

'Gyfeillion, rhowch groeso
i'n ffrindiau o'r Almaen.'

Pan gododd y llen, prin y medrem weld ein gilydd,
y gynulleidfa a ninnau,
a dagrau cyn-elynion wedi golchi'n byd yn wyn.

GORFFENNOL GWYLLT

Yn hwyr y nos yr oedd hi yn tŷ ni,
pan ddeuai'r gwŷr ynghyd o gylch y tân,
heb air i'w rannu rhyngom ni ein tri,
wrth wylio *Westerns* hyd yr oriau mân.
Red River, Sergeant Yorke, The Searchers, Shane,
She Wore a Yellow Ribbon a *High Noon*;
gwyliem heb yngan sill y ffilmiau hen;
cleciadau'r fflamau oedd yr unig sŵn.
Fy nhad, fy mrawd a minnau, a thu draw
i waliau pren ein cartref baith y byd
lle profir ein gwrhydi maes o law,
mewn her mor ddu a gwyn â'r ffilmiau i gyd.
Yr her ni ddaeth, dim ond y dyddiau hyn,
a'n ffordd o'n blaen yn ddu, a'n pennau'n wyn.

GWYNGALCH

Mae'n siŵr mai tuag wythmlwydd oeddwn i
pan wnes i dasg i helpu Nain rhyw dro
a phaentio'r buarth bach o flaen ei thŷ
lle cadwai'r biniau llwch a chwt y glo.
Er dymchwel bwthyn Nain ers amser maith,
mae wal y tŷ drws nesa'n dwyn o hyd,
mewn hirsgwar gwyngalch budr, ôl fy ngwaith
o'r oes pan oedd y paent mor wyn â'm byd.
Os byth y cerddaf heibio erbyn hyn,
ni fedraf lai na chyffwrdd blaen fy mys
i godi mymryn o'r gorffennol gwyn,
rhyw luwchyn o barhad tu hwnt i bris,
gan feddwl nad oes unrhyw beth mor bur
â gwyngalch fy mhlentyndod ar y mur.

Y *MISSION ROOM*

Yn union pa genhadaeth roddodd fod
i'r caban metel bychan 'dwn i ddim,
ond bob nos Wener byddai'r plant yn dod
â'r clwb ieuenctid yma. Gwyntoedd llym
yn siglo'r haearn crychiog ar y to,
arogl twym y stofau paraffîn –
y pethau hyn sy'n aros yn fy ngho'
a'r caban nawr yn sgrap, a minnau'n ddyn.
Yn ôl y ciwrad, cyfle inni gwrdd
â Duw oedd hyn i gyd – er 'dwn i'm chwaith
pa fodd roedd straeon ysbryd, tenis bwrdd
a darllen comics yn hyrwyddo'i waith,
heblaw bod rhinwedd i'r atgofion hyn
am chwerthin plant o fewn y waliau tun.

CERDDI'R
CYMOEDD

Y CYMOEDD

Abercraf, Aberbaidan, Aberbeeg,
Abernant, Aberaman,
Abergorki, Aberpergwm,
Abertyleri, Albion.

Gwyddor goffa'r glofeydd yw hon, y pyllau,
y gweithfeydd sy'n atgofion,
a dynnodd dorf i'r cymoedd hyn,
ac, o'u gwaedu, greu gwerin.

Blaenant, Blaengwrach, Blaenavon, Blaenhirwaun,
Blaendâr, a Blaenserchan,
Bargoed, Bedlinog, Beynon,
Brynhenllys, Brynteg, a'r Bryn.

Dau gant a mwy ohonynt, ym mhob cwm
o Wendraeth i Went,
o Sir Fynwy i Shir Gâr,
o'r môr 'lan i Aberdâr.

*   *   *

'Dyn ni angen y Cymoedd.
Fel 'dyn ni angen brawd mawr i fygwth ein gelynion:
y teyrngarwch digwestiwn,
ac atgofion creithiau'r glo fel tatŵs o dan y crys gwyn.

'Dyn ni angen y Cymoedd,
a chrychau cefnennau eu bryniau
fel *abdominals* cyhyrog ein cenedl,
y *six-pack* o dan ein siwt fusnes.

'Dyn ni angen y Cymoedd,
fel y gorffennol y daethom i gyd ohono,
y man, er ei adael, sy'n dal ei afael arnom
fel nad oes unman arall byth mor solet, mor real.

*   *   *

Celynen De a'r Caerau, Cefn Coed,
Cynheidre a'r Carway,
Crymlyn, Crynant, Cilelai,
Celynen Gogledd, Coedcae,

Dau gant a mwy ohonynt, a drodd rai
o Ddyfed neu Ddyfnaint,
o Loegr neu o Lanfair,
yn Gymry o'u bwrw i'r pair.

*   *   *

Efallai mae'n fater o chwaeth,
neu'n fater o genhedlaeth,
ond gwell gen i weld tomen o slag
na stad o dai *mock-Tudor* gwag.

A galwch fi'n snob os mynnwch,
ond gwell gen i gael fy mygwth
â gwydr gan ryw Gerwyn
na derbyn peint gan ryw Brooklyn.

A gwell gen i rynnu drwy'r gaea'
mewn bwthyn ar Waun Cwm Dâr,
na threulio'r haf ar batio smart
yn Sierra Pines, neu Sweetwater Park.

*　　*　　*

Deakins Red Ash, Deep Navigation, y Daren,
Deakins Slope, Deep Duffryn,
Llanbradach, Llanerch Padarn,
Llanhileth a Llanharan.

Dau gant a mwy ohonynt, dim ond un
o'r cannoedd a fu gynt
sy'n weddill. Aeth byd y glo
mewn cenhedlaeth yn atgo'.

*　　*　　*

Edrychwch ar yr holl gapeli gweigion,
aeth llu o Gymry drwyddynt yn eu dydd,
cannoedd o filoedd o gyn-Anghydffurfwyr
a gefnodd ers blynyddoedd ar y ffydd.

Ond nid oes cyflwr nad yw'n gyfle i rywun –
mae gen i'r cynllun gorau i wneud pres,
drwy dapio 'mewn i'r holl atgofion diflas
o fynd i Ysgol Sul ar b'nawn o des.

Meddyliwch am y miloedd o alltudion,
'welodd, fel plant, yr haf drwy wydr lliw;
ni chofian nhw'r un adnod fach, mi fetiaf,
ond mi gofian nhw yr arogl, siŵr Dduw.

Cymysgedd od o gabol ac o damprwydd,
o lwydni brown ar lyfr emynau llaith,
o lwch yr oesoedd ac o farnais seddi,
a hoglau mintys drwy bregethau maith.

Rwyf am botelu'r hoglau 'ma a'i werthu
i Gymry sydd yn dal i deimlo'r loes
o golli ffydd. 'Fydd dim rhaid cael diwygiad,
ail-grëir drwy'r persawr hwn eich bore oes.

Bob tro y teimlwch hiraeth am eich gwreiddiau,
ond heb fod eisiau mynd yn ôl go-iawn,
ag un diferyn bach o *'nonconformist'*,
fe gewch eich derbyn i aelodaeth lawn.

*   *   *

Glynogwr, Glyntyleri, Glyncastell,
Gelliceidrim a'r Gelli,
Garngoch, Garn Slope, a'r Lucy,
Graig Fawr, a Garw/Ffaldau,

Dau gant a mwy ohonynt, a'r glaswellt
sy'n ymledu drostynt,
i'w cuddio, ond fe gofiwn
y gwaed dan y gwyrddni hwn.

Glenhafod a Glenrhondda, Glyncorrwg
Rhas, Rhigos a Rhisga,
Pwllbach, Pwllgwaun a Bwllfa.
Islwyn, Ystalyfera.

Gwyddor goffa'r glofeydd yw hon, y pyllau,
mor ddwfn â thorcalon,
lle'r aeth dynion i'r purdan,
a thynnu golau i'r lan.

AR Y RHANDIR II

Arferwn gerdded yma draw o'r tŷ
â'r hôf ar ysgwydd, fel y gwnâi fy nhaid
ers talwm yn y gogledd. Braf i mi
oedd profi cynefindra gyda'r llaid
a gweld y llechwedd arw hon uwchlaw
terasau llwyd y strydoedd yn y dre'
yn llafar ei ffrwythlondeb dan fy llaw,
wrth rannu afradlonedd pridd y de.
Ond heddiw, gelwais heibio'r lle drachefn,
a minnau ar daith fusnes yn y cwm,
a chael y chwyn yn ailsefydlu'u trefn
a'r ddaear blaen ynghudd dan grinwellt llwm,
heb fawr i'w ddweud wrth deithiwr o Gaerdydd,
â dwylo, bellach, nad adwaenent bridd.

BILLY STICKS

(Llysenw William Dowling, gwerthwr papurau newydd ym Merthyr Tudful o 1927 hyd at 2003.)

Nid un o ddoethion byd oedd Billy Sticks,
na'r mwyaf lluniaidd o blant dynion chwaith,
ond, bid a fo am ddiwyg neu am ddysg,
yr hyn a allodd hwn, hynny a wnaeth,

sef gwerthu'r *South Wales Echo* ar y stryd
o ganol p'nawn nes nad oedd cwsmer mwy,
o ddeuddeg oed, mewn cryfder neu mewn cryd,
am bedwar ugain mlynedd, namyn dwy.

A phan wrthododd staff y papur roi
ar gefn dyn naw deg oed y bagiau trwm,
i lawr i Smiths yr aeth yn ddiymdroi
a phrynu'r stoc i'w werthu hyd y cwm.

Rhoes Rhagfyr ddiwedd ar ei yrfa ef,
fel tyst y dre' ers mil naw dau ddeg saith.
Ni chlywem mwyach ddeusill hir ei lef,
wrth gerdded lawr y stryd yn ôl o'r gwaith.

Mae'n anodd dod o hyd i'r llwybr iawn
wrth wneud fy ffordd drwy faglau'r byd a'i drics,
ond sicrach gyrfa fyddai hi pe cawn
un gronyn o ymroddiad Billy Sticks.

MARGARET PAYNE

(Warden Eglwys Christ Church, Cyfarthfa,
a fu farw Rhagfyr 2003.)

Mi f'asa'n anodd cael gwahaniaeth barn
mwy cyflawn nag a gafwyd rhyngom ni,
a minnau'n nashi adain chwith i'r carn
a hithau'n Dori na fu'i glasach hi.
A hyd yn oed wrth ddilyn Mab y Saer,
go brin bod ein hymraniad ni dan gêl,
a'r ffaith yn blaen mai'r *Guardian* oedd y Gair
i mi, ac iddi hithau'r *Daily Mail.*
Ac eto, nawr ei bod hi wedi mynd
o'n blaenau, i dderbyniad gyda'i Duw,
mi dalaf hyn o deyrnged i fy ffrind,
a dweud na chefais neb erioed mor driw,
ac nad yw 'ngyrfa lawn na 'ngweithiau llên
werth tamaid o ffyddlondeb Margaret Payne.

Y MYNYDDOEDD

Digiais wrth eich tawedogrwydd,
yn troi wyneb caregog ar fy nghwestiynau,
yn aros yn ddiymateb gerbron fy nryswch;
gwacter didaro'r wybren uwch fy mhen,
y gwynt digysur ar draws y waun
a hoglau anwybodus blodau'r grug,
a rhegais eich difaterwch fel glaslanc dig.

Bellach, pan ddof atoch,
gan ddwyn fy ngofidiau fel ebyrth i'r uchelfannau,
a'r anadl yn fyrrach,
a'r llwybr yn arwach,
eich tawedogrwydd yw'r hyn a geisiaf.
Cynghorion tawelwch y tarth ym mrigau'r rhedyn,
dealltwriaeth ddieiriau cyffyrddiad y ddaear,
a gwerthfawrogaf yn awr yr ymatal drud
sy'n gwrando poenau dyn gan gadw'n fud.

MYNYDD BEDLINOG

I Sally

Mi ddes i droeon i'r uchelfan hon
i rannu 'nghyfrinachau gyda'r rhos,
mewn gofid o ryw fath bob amser, bron,
yn ceisio'r golau dim ond o ofni'r nos.
Yn holl helbulon bywyd, dyma'r fan
'fu'n gwrando yn ddi-gŵyn fy nghwyn ddi-baid –
pryder priodi, pryder torri 'lan,
y dadlau i gyd yn erbyn neu o blaid.
Ond ers i mi gael gwefr dy gariad mwyn,
yr hyn a sylweddolaf bellach yw
bod cariad yn y cwm, nid ar y twyn;
does dim rhaid dringo mynydd i weld Duw.
A deuthum heddiw yn yr awyr glir,
â'r holl bryderon nawr yn saff dan glo,
heb gysgod cwmwl ar y gorwel hir,
a'r gwanwyn yn berffeithrwydd, am y tro.
Ac os dim ond yr untro, dyma ddod
a diolch i fodolaeth am gael bod.

CERDDI ERAILL

AWELON

*(Dramateiddiad o un ymateb cyfredol cyffredin
i sefyllfa gymhleth gyfoes)*

> *Beth a sibrydai'r dafnau glaw
> Wrth droi a throsi yn y cymylau?*
> 'Cymru', T. Glynne Davies

Mae'r awel fach â'i cheg wrth dwll y clo
yn sibrwd imi fod ein hiaith ar ffo.
Nid oes un drws na ffens na rhagfur chwaith
a ymgeledda fro ein priod iaith.

Ni wn a ddylwn ddiolch am y fraint
o'i gweld hi yn ei blodau cyn yr haint,
ynteu melltithio'r dydd y'm ganed i
i fyw i weld ei hartaith olaf hi.

*   *   *

Unwaith eto . . .

Croeso i Gymru,
meddai'r arwydd ar y ffin,
yn ei ddeuoliaeth ddwyieithog,
ddwy-ystyr.

I rai, dyma groeso i Gymru'r gwyrddni,
a dreif o Drefynwy i Dyddewi,
drwy barc-thema dof o gestyll Disney.

Croeso i Taff Donalds,
parcia'r *Range Rover* tu fas i'r drws
ac yfed Celta Cola
– *lite* wrth gwrs.

I eraill, croeso i Gymru'r carchar,
i arhosiad hir yng nghell Rhes Angau
a dim ond Radio Cymru'n gwmni
wrth i ddeial dy ddyheadau
diwnio i donfedd dy dynged
am arwydd o ymwared munud-olaf.

Croeso i Gymru'r clafdy,
i'r monitro cyson ar dy gyflwr,
i'r clustfeinio hypocondrïaidd ar dy galon,
i'r cwsg â chymorth cyffur
a rydd iti freuddwyd o fore oes,
cyn iti ddeffro i'th gorff crintach, canseraidd.

Croeso i Gymru'r côma;
i'r oesoedd astud wrth yr erchwyn,
yng nghwmni'r peiriant-cynnal-bywyd,
yn dyheu am un symudiad bach,
am air.

Croeso i Gymru'r gladdfa,
i'r gorchwyl a wnawn ora',
i'n diwydiant mwya' llwyddiannus,

ond un sydd, fel y pyllau glo,
yn y pen draw,
yn disbyddu ei adnoddau.

*   *   *

Mae'r awel fechan swil dan ddrws fy nghell
yn dweud na hidia neb yng Nghaerdydd bell.
Gwell ganddynt golli iaith i ennill sedd
a gwthio dau fileniwm i'w bedd.

Mi froliant yn eu senedd ger y lli
ein Cymru holl-gynhwysol, uniaith, ni,
a phawb yn ôl eu rhethreg nhw yn frawd,
heblaw'r brodorion diymgeledd, tlawd.

*   *   *

Croeso i Gymru

Pryd y dechreuodd hyn, tybed:
gwneud Cymru'n gyfystyr â chroeso
ac ymfalchïo nad yw'n drysau byth ynghau?

Pan fynnodd y cefnog hynny, mae'n debyg.
Y nhw erioed a fu'n gosod telerau
cyfathrach ein cenhedloedd,
yn dirfeddianwyr, yn ddiwydianwyr, yn ddinas-
    ddihangwyr;
y nhw sy'n byddaru sibrydiad cydwybod
drwy fynnu croeso wrth dresmasu.

'Mi wyt isio hyn, yn dwyt? Yn dwyt?'
Yn rhesymeg y rheibiwr
nid oes y fath air
â 'na'.

O'n rhan ni,
os mynnan nhw droi'n cartref yn chwaraele
mae'n rhaid i'n meddyliau blygu'n ddwbl
a cheisio sborion hunan-barch
wrth wagu biniau sbwriel ein meistri
a'n twyllo'n hunain nad oes mynediad
heb wahoddiad.

Mor rhad ein rhesymu,
yn hawlio rheidrwydd fel rhinwedd.
Fe'n goresgynnwyd? Na, heddychwyr ydan ni.
Fe'n gwladychwyd? Na, croesawgar ydan ni.

Mi dybiaf weithiau
wrth weld *conquistadors* y cyflogau mawrion
yn cynaeafu'n cynefin
fesul fferm, fesul tyddyn, fesul tŷ teras clyd,
mai 'Croes i Gymru' y dylai'r arwyddion ei ddweud
ar ein ffiniau di-ffens.
Ond hunan-dwyll fyddai hynny hefyd:
nid croeshoeliad mo hyn;
mi fedrodd Crist ddewis gwarth ei farwolaeth.
Nid oes dewis i ni.

Gadewch inni ddeall hyn o leia':
celwydd yw'r arwyddion.
Ni fedrai'n gwlad ni fyth groesawu neb.

Ni ellir caru lle ni ellir gwrthod.
Ni ellir croeso
pan na ellir byth gloi'r drws.

* * *

Mae'r awel fwyn sy'n siglo'r dail o'r coed
yn dweud na pharodd unrhyw beth erioed;
yn hwyr neu'n hwyrach, mae pob dim yn mynd.
Marw mae popeth yn y diwedd, ffrind.

Daw'r awel fain drwy'r coed â chysur drud:
mai syndod yw i'r iaith oroesi cyhyd;
marw fydd hanes pob iaith yn ei thro;
mae yma heddiw, dathla hi tra bo.

* * *

Cofio

Meddyliaf yn aml pa fodd y cawn ein cofio,
unwaith y'n globaleiddir ni am byth o olau byd
a suddo ohonom i isymwybod y creigiau.

Yn chwedlonol, efallai, fel rhyw Dylwyth Teg,
a ffodd rhag arfau haearn eu disodlwyr,
o'r dyffrynnoedd, i'r bryniau, i'r niwl;
ein hemynau, i'n holynwyr, yn ddewiniaeth,
a'n salmau yn swynion,
i'w cadw'n gywreinbeth ar y silff *Ikea*
nesaf at y llyfr ysbrydoliaeth yr Indiaid brodorol,
a'r copi o *The Lord of the Rings*.

Neu'n fygythiol, efallai, ar ffiniau'r ymwybod,
rhyw ddiptheria o ddiwylliant,
a waredwyd drwy frechiad cynnydd.

Neu'n waeth,
yn sicr yn waeth –
yn fasnachol –
fel rhyw farsiandïaeth frodorol,
rhyw *kitsch* Oes Newydd cysurlon:
englynion carbwl i fendithio'ch ceir,
cwpled cloff at eich cyfweliad swydd,
cywydd cam i ddenu cymar.
Arglwydd ein Duw, arbed ni,
rhag ein difa – a'n delfrydu.

*   *   *

Mae'r awel fach wrth ffenest frau fy nhŷ
yn dweud bod braint gan fy nghenhedlaeth i:
yr olaf un i brofi'r iaith yn fyw:
a'r un a'i profa'n mynd tu hwnt i glyw.

Yr awel fu'n gydymaith dyddiau braf,
mor ysgafn ar fy nghroen â chotwm haf,
does ganddi unrhyw gysur mwy i mi.
Mae hyn yn mynd i ddigwydd. Dyna ni.

*   *   *

Taith Dywys

Ffordd hyn, gyfeillion. Yma ar y dde
yr ysgol bentre. Yr oedd plant fan hyn,
bryd hynny, nawr wrth gwrs mae'n stafell de;
caeodd yr ysgol pan aeth plant yn brin.
Y siop? 'Dwi ddim yn siŵr yn union pryd
y caeodd honno. Ie, syr, dyna'r llan –
mae'n gartref gwyliau bellach ers tro byd.
Ar un tro roedd eglwysi ymhob man.
A'r tŷ hwn, dyma lle bu fyw'r hen wraig
a fu'n nodedig unwaith am ei dawn:
hi oedd siaradwraig olaf y Gymraeg –
rhyw hen dafodiaith leol ryfedd iawn.
Ond darfu yr hen arfer gyda hi.
Mae'n biti, ydi'n biti. 'Mlaen â ni.

*　　*　　*

Daw'r awel fach â phersawr grug y rhos
i hebrwng ein gwareiddiad ni i'r nos;
fe ddaw â dagrau'r gornel hon o'r byd
dros un a fu'n gydymaith iddi cyhyd.

Yn gymwynasgar, daw i daenu'r tarth,
yn amdo disglair, llwyd i guddio'n gwarth.
Fe ddaw â'r glaw tynera' fu erioed
pan fydd yr hen Gymraeg yn cadw'r oed.

*　　*　　*

Ewyllys Olaf

Mae'r amser wedi dod, fe ymddengys,
am siarad plaen.
Ystyriaf fy hun, yn awr, a'r gwyll yn cau,
yn rhydd o'r brathu tafod poleit
a nodweddai ein perthynas;

a chyn i don dy ddiystyriaeth
ysgubo ymaith gaer tywod fy myd,
dymunaf drosglwyddo i ti ychydig bethau.

Melltithiaf di, beiriant llofruddiaeth,
am ladd byd trwy ladd iaith.
Melltithiaf di, gyfalaf,
am ddwyn yfory oddi arnaf
a gwadu i'r rhai a ddaw ar fy ôl
gymuno â'u gorffennol.
Melltithiaf di, ymerodraeth,
am dorri tafod cenedl gaeth.

Pan fo'r inc yn sych ar y geiryn ola',
melltithiaf di.
Pan sibrydir ffarwél yn iaith plentyndod
mewn gwely ysbyty am y tro olaf,
melltithiaf di.
Pan neddir y geiriau olaf ar y beddfaen olaf un,
melltithiaf di.

Ac wedi hynny,
yn fy nisgynyddion anghyfiaith,
melltithiaf di,

yn eu hisymwybod clwyfedig,
melltithiaf di.
O gloriau llyfrau marw,
melltithiaf di,
o gerrig sylfaen capeli,
melltithiaf di,
o enwau tai a ffermydd a bryniau,
o awyr las y nefoedd
hyd at wreiddiau'r mynyddoedd,
ym mhob gwelltyn, pob gronyn tywod,
yn sibrydiad pob awel,
o nawr hyd ddiwedd amser,
melltithiaf di.

*   *   *

Mae'r awel fach sy'n cwyno dan y drws
yn holi'n daer ble'r aeth y geiriau tlws.
Er gwrando, er clustfeinio wrth bob clo,
fe'u lladdwyd nhw, a'u gollwng oll dros go'.

Fe chwilia'r awel holl gilfachau'n gwlad
am sillaf o'n diwylliant di-goffâd;
gan sibrwd wrth y glaswellt ar y ffridd:
mor hyfryd oedd, mor hyfryd yn ei ddydd.

MURIAU

'They that have power to hurt, and will do none.'
Soned 94, William Shakespeare

PALESTEINA c.30 OC

(Y Canwriad)

*(Ceir stori'r 'Canwriad Ffyddlon' yn Efengylau Mathew
8:5-13 a Luc 7:1-10.)*

Gad iddyn nhw wawdio, y corfflu haearnaidd;
fy ngalw'n Iddew-garwr,
fy holi a oedd yr enwaediad yn brifo,
jocian bod siâp fy nhrwyn yn newid.

Gad iddyn nhw. Ni all geiriau dynnu gwaed,
nid fel cyllyll y Celtiaid a bwyeill barbariaid Germania.
Edrycha – y creithiau hyn.

Nid barbariaid mo'r Iddewon hyn,
beth bynnag a ddywed fy nghyd-wladwyr.
Ai barbariaeth eu deddfau cain
a wnâi i dduwiau efydd Rhufain edrych fel teganau plant?
Pa bwys, felly, wythnos o sgandal,
y swyddog mewn iwnifform yn plygu'n gyhoeddus i'r rabbi;
pa bwys p'nawn o gywilydd i'm llengfilwyr llym,
gerbron milenia o hanes gwyrthiol,
gerbron yr eiliadau di-ben-draw o boen i'm gwas ffyddlon,
gerbron yr Iddew dwys a thawel hwn,
a ddaeth i dref fy nghyfrifoldeb i
ac ufudd-dod llwyrfryd plentyn
fel eryr ymerodraeth yn ei drem?

Y GOEDWIG DYWYLL, UN TRO

(Yr Heliwr)

*(Yn y stori dylwyth teg, fe anfonwyd heliwr i ladd Eira Wen a dod
â'i chalon yn ôl at ei llysfam genfigennus. Ond, o dosturi, methodd
yr heliwr â chyflawni'r weithred, ac fe dwyllodd y llysfam
drwy ddangos calon mochyn iddi.)*

Mor hawdd fuasai:
dim ond cau llygaid y gydwybod yn dynn fel trap,
dangos y goleuni i'r gyllell am ychydig eiliadau,
gwirionedd syfrdan y gwaed, a'r pen yn gwywo fel eirlys.

Yng nghrombil y goedwig
ni fuasai'n rhaid mygu ei sgrech hyd yn oed;
eisoes 'roedd hi'n ddiflanedig,
ffoadures ddiffrindiau heb riant i alaru amdani.
Hi fuasai'r prae preifat perffaith
i'w chladdu mewn arch haearn mewn rhyw seler yn
     fy nghof,
a sêl awdurdod brenhinol yn glo gwêr ar y drws.

Dyletswydd mor hawdd fuasai dienyddio'r deyrnfradwres
     fach.

Ond wrth ei hwynebu ar y ddôl, a dim ond y coed
     yn dystion,
gwyddwn yn sydyn mai un enaid a rannem,
fel y gwreiddiau dan y tir.
Ac wrth i mi ei gollwng yn rhydd, rhyddheais fy nghalon
     fy hun.

Lladdais fy ngwaseidd-dra fel mochyn,
a'r noson honno, fe syllais i lygaid fy mrenhines,
gan gynnig heb arwydd o ddichell
y blwch gwaedlyd a ddaliai gyfrinach
fy anufudd-dod coch.

MERTHYR TUDFUL, 1872

(Robert Thompson Crawshay)

*(Meistr gweithfeydd haearn Cyfarthfa ym Merthyr Tudful.
Fe'i claddwyd ym mynwent y Faenor o dan
y beddargraff a roddir yma.)*

Rhaid oedd i rywun eu rheoli, y gwehilion hyn o Gymry.
Fe'u cofiaf, yn nyddiau fy ieuenctid,
yn codi baner goch eu ffoliineb uwchben y dref,
yn marw yng ngynnau'r milwyr wrth geisio herio'r drefn.

Fi oedd y caead haearn ar gawg ffrytiog eu gwrthryfel;
fi oedd y gadwyn drom a ffrwynodd gi cynddeiriog eu
    cenfigen;
fy llygaid fel dau faril gwn yn tawelu torf eu hatgasedd.

Gwneud haearn, nid ffrindiau, oedd fy mwriad;
elw nid enw da.
Galwent fi'n rheibiwr. Iawn.
Ond ni feiddient fy ngalw'n rhagrithiwr.
Dilyn a wneuthum ddeddfau natur a osodwyd yng nghraig
    ein hanfod
fel yr haenau o lo a haearn yn y bryniau hyn.

'Trechaf treisied', yw eu dywediad, yn ôl a ddeallaf.
Ni thrafferthais erioed ryw lawer gyda'u hiaith.
Nid fel y Guests yn Nowlais,
yn cymysgu cemegion caredigrwydd gyda mwyn eu
    mentergarwch

i greu dur hyblyg diwylliant.
Digon i mi onestrwydd yr haearn unplyg brau.

A minnau heb gloddio holl gyfoeth fy iaith fy hun,
gan symled anghenion fy nweud,
diangen oedd suddo pwll i ddaear iaith arall.

Dyn o ychydig eiriau a fûm erioed.

Gallwch fentro, felly, imi feddwl y geiriau
a ddewisais i'm carreg fedd,
wrth edrych i lawr o fynydd y Faenor
a gweld mynyddoedd enillion fy oes
yn domenni o slag uwchben y terasau tlawd.

'*God forgive me.*'

COEDWIG MAMETZ, 1916

(Y Cadfridog Horatio James Evans)

*(Un o arweinwyr y '53rd (Welsh) Division' yn Ffrainc. O weld
colledion ei gatrawd wrth geisio ennill Coedwig Mametz ym 1916,
fe wrthododd orchymyn ei benaethiaid i barhau â'r ymosodiad,
gan eu galw'n 'ffyliaid'. Fe'i diswyddwyd o'r herwydd.)*

Ni fedrwn eiriau Cymraeg yr emyn a ganent,
a'u rhengoedd yn dynn fel llinyn bwa ar ben y bryn,
a choedwig Mametz fel annwfn o fwg islaw;
ond fe wyddwn y dôn, 'Aberystwyth';
a chenais gyda hwy yn Saesneg, dan fy anadl:
'Jesu, Lover of my Soul'.

Tri o'r cwmni cyntaf a gyrhaeddodd y coed.
Ac un o'r ail.
Roedd y llethr yn llithrig gyda gwaed fy mechgyn i.

Neges frys i'r pencadlys, yn erfyn gohirio.
A'r ateb: *'Press home the attack with all vigour'*.
Eilwaith, ymbilio am synnwyr.
Ond: *'Press home the attack without delay'*.

Cyn ateb, rhagwelais y tocyn un-ffordd i Blighty,
y blagardio, y bluen wen.

Roedd yn bris gwerth ei dalu.

Gelwais nhw'n ffyliaid.
Gwrthodais eu gorchymyn.
Tynnais fy nynion o'r lein.

Hwyrach y caent gadfridog arall,
un a'i gomisiwn yn fwy na'i gydwybod;
hwyrach y byddai iddo afradu rywdro'r cannoedd
    a achubais.
Ond gwn hyn: fy ngwarth a'm gwaredodd,
a gwell na holl fedalau fy oes yw pluen wen Mametz.

Y FFRYNT GORLLEWINOL, 1918

(Milwr Prydeinig)

(Bu'r awdur Henry Williamson yn dyst i'r digwyddiad hwn a gofnodwyd gan Geoff Dyer yn ei lyfr The Missing of the Somme.*)*

Y tro diwethaf y bues i adre', rhoddais fy nhosturi yn
    y ddrôr,
fel fy anrheg fedydd o Feibl yn ei gas sgleiniog gwyn.
Caiff aros tan ryw b'nawn Sul glawog wedi'r rhyfel.
Efallai, bryd hynny, bydd yn saff i'w ddadlapio drachefn.

Ni feiddiwn agor fan hyn ddalennau daioni,
mor frau ag adain glöyn byw;
byddai fel gadael i lygaid f'anwyliaid weld
y gweddillion o gnawd a fu'n gatrawd.
Nid yma mae ei le.

Ond heddiw, wrth orffwys ymhlith galanas
y ffos Almaenaidd a feddiannwyd gennym,
mi glywais un o'u bechgyn nhw,
a'r gwaed yn lledu'n anorfod dros ei gadwisg lwyd,
wrth farw'n araf yn erfyn: '*Mutter. Mutter*'.

A meddyliais: myn uffern,
'dwi'n ddigon o ddyn i ladd,
'dwi'n ddigon o ddyn i wneud hyn:
a chymerais ei law yn fy nwylo lleidiog i:
'Mae'n iawn, 'machgen. Mae'n iawn.
Mae Mam yma.'

BERLIN, 1945

(Y Rhingyll Nikolai Masalov)

*(Achubodd Masalov fywyd yr eneth ar Ebrill 28, 1945,
yn ystod y frwydr am Berlin. Codwyd cerflun i
gofnodi'r digwyddiad wedi'r rhyfel.)*

Clywsom ei llais rhwng sŵn y gynnau,
wrth inni nesáu at y Reichstag,
a bwledi'r Natsïaid yn cnoi cerfluniau'r bont a lochesai'n
    cwmni.
Wedyn, drwy'r mwg, fe welsom hi, Almaenes deirblwydd
    oed,
wrth ochr celain ei mam
yn llefain rhwng y lluoedd.

Nid dyn o efydd oeddwn ar y pryd,
wrth neidio'r bont i'r afon,
a bwledi'r Ffasgwyr yn ffustio'r dŵr o'm hamgylch.
A llawer mwy diolwg oeddwn na'r cerflun trwsiadus
wedi imi lusgo'n ôl drwy laid ac olew'r Spree
a'r ferch yn fy mreichiau.

Droeon fe ofynnwyd imi, pam.

Ar y pryd, greddf ydoedd:
roedd achub plentyn mor naturiol â lladd gelyn.

Erbyn hyn, a Reich a Sofiet wedi cilio fel mwg y frwydr,
fe welaf nad cyfwerth celanedd ac ymgeledd,
ac mai'r ennyd anhunanol a erys fel efydd:
y lladdwr di–ddryll yn dal, yn ei freichiau, ei achubiaeth
    ef ei hun.

BUDAPEST, 1945

(Raoul Wallenberg)

*(Llwyddodd Wallenberg, diplomat o Sweden, i achub bywydau
miloedd o Iddewon yn Budapest rhag y Natsïaid, ond fe
ddiflannodd pan feddiannwyd y ddinas gan y Sofietiaid.)*

Peidiwch â 'ngalw i'n ferthyr;
'dyw merthyron ddim yn celwydda;
eiddynt hwy'r geirwiredd gloyw fel fflam;
yr unplygrwydd cyhoeddus caled fel stanc.
eiddof fi'r we o addewidion gwag,
y niwl o fygythiadau annelwig
a'r rhwyd o gil-dyrnau drud.

Nid sant oedd y sawl a dyngai lw
mai Swediaid pur oedd gwŷr y gaberdîn;
nid sant y sawl a dynnai ar gyfrif banc ei
    ddiniweidrwydd gynt
i brynu crediniaeth rhyw swyddog amheugar.

Galwch fi'n dwyllwr i Dduw, celwyddgi Crist.
Does ots pa enw a roddwch;
nid y fi sy'n bwysig, ond y nhw,
y genedl hen dan gysgod y fall.
Diwerth oedd *krona* fy enw i a'm tras
oni bai ei roi i'w prynu nhw, y tylwyth estron,
o'u gwersylloedd du.
Nid y fi sy'n bwysig, ffrind.
Anghofiwch fi.

ENNISKILLEN, 1987

(Gordon Wilson)

*(Lladdwyd 11 o bobl gan fom Enniskillen ar Sul y Cofio 1987,
gan gynnwys merch 20 oed Gordon Wilson, Marie.)*

Tu ôl i'r mur yr oedd y bom –
hen dacteg o luosogi effaith ffrwydrad
gan droi pob carreg yn fwled
i'n gwastatáu fel y gorymdeithiem heibio
ar Sul y Cofio yn Enniskillen.

A'n Saboth wedi'i dorri'n garpiau gwaedlyd,
anwylais law fy merch o dan y rwbel
ac islaw'r sgrechiadau a'r seirens,
derbyniais ei geiriau olaf o gariad.

Y noson honno, teimlais ei orchymyn tawel,
fy Arglwydd didrugaredd o faddeugar,
yn hawlio gennyf bris llawn fy aelodaeth o'i deyrnas.

Gallaswn fod wedi gwrthod;
gallaswn fod wedi ailgodi ffiniau fy myd,
fricsen wrth fricsen goch,
a'u haddurno â murluniau fy mhoen.

Ond agorais ddyrnau fy nicter, a gweddïo drostynt;
nid o achos grym gorchymyn o'r nef,
ond oherwydd gafael llaw Marie dan weddillion y mur.

ISRAEL, 1998

(Brenin Hussein o'r Iorddonen)

(Ar ôl i filwr o'r Iorddonen ladd saith merch ysgol o Israel a oedd yn ymweld â'r wlad ar Fawrth 13, 1997, aeth Brenin Hussein i gartrefi'r merched yn Beit Shemesh, ac ymweld â'r saith teulu, gan ofyn maddeuant.)

Boed frenin, boed ffoadur, caethweision ŷm ni i gyd
yn hualau ein hanes, yng ngefynnau'r cyfandiroedd.

A thiroedd meibion Abraham yn groesffordd heb
   arwyddion,
ar hyd pa heol y mae heddwch?

Sut mae dechrau clirio anialwch o gerrig anghyfiawnder,
os nad wrth dy draed?

Euthum fy hun at dai eu galar,
derbyn, saith gwaith, fara a halen eu croeso mud.
A saith gwaith, yn bennoeth gerbron torcalon,
yn frenin, mi benliniais.

CYDWYBODOL

Mae'n gastiog Ei orchmynion, Dduw y nef,
yn galw rhai i'r gad mewn ffosydd pell,
ac eraill, dan yr un orfodaeth gref,
i sefyll dros Ei deyrnas yn y gell.
Dan ddrafft dyletswydd fe orchmynna un
i goncro'i sgriwpls ac ysgwyddo'r dryll;
ac arall, yn Ei enw Ef ei hun,
i herio'n waglaw bob treisgarwch hyll.
Arglwydd y Lluoedd neu Dywysog Hedd?
Nid oedd amheuaeth yng nghydwybod hwn –
er bod gwaradwydd bro yn waeth na bedd
ni fynnai wadu'i Grist drwy godi gwn.
Cyflawnodd, felly, brif orchymyn Duw
i filwr neu i ferthyr – cadw'n driw.

TROED YR ORSEDD

(Wrth ddarllen llyfr Eluned Morgan, Dringo'r Andes,
yn ystod ymweliad â Threvelin, talaith Chubut.)

Wyth enw ar y ddalen,
Eurgain, Briallen, Madryn,
a gweddill yr Evansiaid,
yn un paragraff persain.

A chanrif gyfan rhyngom,
wrth ddarllen eich hanesion
â chymorth golau trydan
yn nhŷ capel Trevelin.

Rhwng muriau pren eich crefydd,
ynghyd yng ngolau'r gannwyll,
wrth droed Gorsedd y Cwmwl,
offrymwch weddi ddidwyll.

Y Gymru hwnt i'r Iwerydd,
cyn dyfod dilyw'r Sbaeneg
a llew'r ugeinfed ganrif
yn llechu yn y goedwig.

Pe bai ond modd eich cadw,
yn gyfan, rhag pob adfyd,
yn baragraff perffeithrwydd,
yn ddu a gwyn, dinewid.

Ond heddiw yn y fynwent,
yr enwau ar y beddau;
yn fore neu ar hwyrddydd,
fe'ch casglwyd at eich tadau.

Ym mynwent wen Cwm Hyfryd,
Eurgain, Briallen, Madryn,
holl deulu Troed yr Orsedd,
a'r cylch o hyd yn gyfan.

BORE SUL Y PASG, MIAMI BEACH

Atgyfodi mae'r haul,
yn hosanna oren drwy'r palmwydd ailanedig,
ac uwchben amlinellau Art Deco onglog
y gwestai ar Collins Avenue.

Mae'r traeth yn dechrau llenwi
â rhedwyr, gwerthwyr diod
a cherddwyr, fel minnau,
yn cymryd fy llwybr, fel sy'n gweddu i ddyn deugain oed,
rhwng y *boardwalk*,
lle'r hercia'r hen ddynion
y byddaf yn un ohonyn nhw ymhen dim,
ac ymyl y môr,
lle rheda'r dynion ifanc yr oeddwn i ddoe
yn un ohonyn nhw.

Ac yna, drwy fynedfa West 24th, fe ddaethant –
oll yn eu gynau gwynion,
oll yn eu croen lliw-haul –
gorymdaith fedyddiol blygeiniol
at yr holl-faddeuol fôr.

Oedais i'w gwylio, gan ddyfalu,
gyda greddf y Cymro,
i ba fath o enwad y perthynent.
A oedd awgrym, efallai, yn y gair ar y crys-T gwyn
a oedd yn dynn dros gyhyrau brest eu harweinydd?

'Fe'.

Braidd yn rhyfygus, meddyliais,
oedd i'r brawd cydnerth hwn hawlio'r rhagenw dwyfol
    iddo'i hun,
gyda'r briflythyren sanctaidd hyd yn oed.
Ac os mai 'Fe' Ei Hun yn wir oedd hwn,
a fuasai mor ddi-chwaeth â gosod Ei enw ar Ei grys?
Ac a fyddai, o ddifri calon,
yn dychwelyd fel Hwntw?

Nes i'r llyw yn fy meddwl addasu
i yrru ar ochr dde priffordd ystyr,
ac i minnau sylweddoli mai'r gair mewn gwirionedd oedd
    'Fe',
sef yr enw Sbaeneg am 'ffydd'.

Cadarnhau ffydd yr oeddynt, y bore hwn,
yn mentro o dywod caled y lan
i sigladau dyfroedd eu hymroddiad newydd.
En el nombre del Padre, y del Hijo, y del Espíritu Santo.
Ac i lawr i heli Iwerydd eu hachubiaeth,
ac i fyny i gymeradwyaeth ceraint
a'r nefoedd las newydd.

Cofleidiau, cusanau, curo cefnau,
a gweddïau Sbaeneg dros y dychweledigion dyfrllyd.
Codi canu, codi dwylo – a chodi camerâu.
Maen nhw'n saethu'r olygfa o bob cyfeiriad
a sylweddolaf y byddaf, er fy ngwaethaf,
yn *gringo* â hanner gwên
am byth yng nghefndir lluniau eu diwrnod mawr,
wedi fy nghyfethol i gadwedigaeth y cemegion
ar ffilmiau eu ffydd.

Af ymaith.
Bendithia nhw, O Dduw.
Cadw nhw rhag camwedd, chwerwedd, salwch, siom.

Af ymaith hyd y traeth,
drwy olion poteli cwrw, *condoms*,
taflenni clybiau nos,
heibio i'r merched yn torheulo
a'u cyrff yn ddamhegion anniweirdeb.
Ar y lan mae amlinellau'r gwestai fel murlun papur ffug
ac allan ar y môr,
mae'r llongau casino yn prowla'r gorwel.

Af ymaith o blith y dathlwyr;
hwythau yn fy ngweddïau i,
a minnau yn siambr dywyll eu camerâu hwy,
yn rhannu, os nad eu llawenydd,
un eiliad fyth-dragywydd
o sancteiddrwydd sgleiniog stond.

FREEWAY

Rho dy droed i lawr a thro dy radio 'lan,
mae *freeway* hir o'n blaen ni ac mae angen cân.
Fe yrrwn dros y ffin i mewn i Tennessee
a stopio mewn rhyw *diner* bach am goffi cry'.
Taith draws-gyfandir gyda *gas* yn y tanc,
haul yn yr wyneb a phres yn y banc.

A Springsteen ar y radio
yn gwneud imi gofio
taw hon ydy'r daith y byddai Ceri'n dweud
y byddem ni'n dau ryw ddydd yn siŵr o'i gwneud.

Gyrru heibio'r lori goed a'r *Greyhound bus*,
Arwyddion *Jesus Loves You* a *Cars R Us*.
Mae'r bryniau o'n blaen ni a'r paith o'n tu ôl,
tynnu'r to i lawr a bwrw'r *cruise control*.
Taith draws-gyfandir gyda *gas* yn y tanc,
haul yn yr wyneb a phres yn y banc.

A Springsteen ar y radio
yn gwneud imi gofio
y ffordd y bu Ceri'n siarad am ddod gyda mi
mewn rhyw ddyfodol pell pan fedrem 'fforddio hi.

Tynnu i mewn i motel, mynd i barcio'r car,
a cherdded 'lawr i Main Street ac i mewn i'r bar.
Ac wrth i'r cwrw gyrraedd does dim byd yn bod;
roedd heddiw'n ddiwrnod perffaith, ac mae mwy i ddod.

Breuddwydiem ni bob amser am gael byw fel hyn:
mae ein dyfodol yma – ond 'dyw Ceri ddim.

A Springsteen ar y radio
yn gwneud imi gofio
am Ceri yn breuddwydio am wneud hyn ryw ddydd,
ac mi fuasai hefyd, dim ond o gadw'r ffydd.

A Springsteen ar y radio
yn gwneud imi gofio
taw hon ydy'r daith y byddai Ceri'n dweud
y byddem ni'n dau ryw ddydd yn siŵr o'i gwneud.

GOSPEL

Wrth wrando'r hen ganeuon
crefyddol ambell waith,
fe fyddai'r sôn am nefoedd
yn peri llygaid llaith,

wrth feddwl am y croeso
a geid tu hwnt i'r llen,
pan fyddai holl ansicrwydd
y bywyd hwn ar ben.

Cân imi unwaith eto
gân am y nefol dir.
Mae'r hanes yn rhy hyfryd
i beidio â bod yn wir.

Y stad lle na cheir salwch;
y fro lle na cheir brad,
y cartref lle daw'r crwydryn
i'w dderbyn gan ei Dad.

Lle gwneir pob cam yn gymwys,
lle gwneir pob plyg yn syth,
a lle na fydd gwahanu
cariadon byd am byth.

Cân imi unwaith eto
gân am y nefol dir.
Mae'r hanes yn rhy hyfryd
i beidio â bod yn wir.

Ond sylweddolaf heddiw,
pam y daeth dagrau im:
nid am fy mod i'n credu,
ond am fy mod i ddim.

Ond er yr holl ansicrwydd
lle gynt bu cryfder ffydd,
rwy'n gwrando yn y gobaith
y daw yn wir ryw ddydd.

Felly . . . cân imi eto
gân am y nefol dir.
Mae'r hanes yn rhy hyfryd
i beidio â bod yn wir.

BODIO

Fe'i rhybuddiwyd droeon,
y ferch o wlad Pwyl,
am beryglon bodio'i ffordd drwy'r byd,
yn trin Ewrop gyfan fel rhyw bentref 'nabod-pawb,
yn diolch â'i gwên plentyn pan stopiai gar
i'w chodi wrth ochr rhyw lôn unig
a'i chau o fewn closrwydd cerbyd dieithr.

Fe'i rhybuddiwyd droeon
mor ddisynnwyr ei diniweidrwydd,
yn ei hymddiried ei hunan i lif afreolus y lôn,
er gwaethaf ei meistrolaeth o grefft y crwydryn –
canmol medrusrwydd y gyrrwr bob tro,
ac edmygu effeithiolrwydd ei gar.

Ond dyna'r rhawd a ddewisodd,
nid o ddiffyg arian, na diffyg pwyll,
ond am fod ei rhoi ei hun yn fforddolyn diymgeledd
yn ei throi hi'n gludydd mellten i garedigrwydd eraill,
yn troi pob taith yn ddatguddiad
mai haelioni yw'r tanwydd yng ngwythiennau dynion.

Ambell waith fe gysgai wrth i'w gyrrwr dieithr newydd
ei chludo'n ddiarwybod ddiogel,
gilomedr ar ôl cilomedr, i gyfeiriad ei dewis.

Fe'i rhybuddiwyd droeon.
Nes iddi, o'r diwedd,
wrth groesi paith Wcráin,

yn groes i bob cyngor,
gwrdd â'i gwrthwyneb.

Fe'i codwyd o ochr y ffordd,
a oedd mor llychlyd â chalon lleidr,
gan dri llanc gor-drwsiadus
a edrychai fel rhai o *gangsters* chwedlonol y wlad honno,
gan mai dyna oeddent –
fel y darganfu ar ôl i ddrws y car
gau'n glep ar ei hôl.

Sonient i ddechrau am eu gwaith,
gydag ymffrost digywilydd y digyfraith.
Wedyn, dangosent iddi ei gynnau,
offer ufudd eu crefft deuluol.
Ac wedyn . . .
. . . ac wedyn
aethant â hi i'w cartref
i gwrdd â'u rhieni,
i fwyta ei gwala
a chysgu'r nos mewn gwely plu
a oedd mor dawel â chydwybod sant.

Drannoeth,
wedi gwers saethu anffurfiol
yng ngardd eu cartref,
aethant â hi yn groeniach i'w chyrchfan nesaf.

Ac wrth iddynt ffarwelio fel brodyr-a-chwaer,
gofynnodd hi y cwestiwn amlwg:
'Meddyliais mai chi oedd y dynion drwg'.

'Efallai ein bod ni,' atebent,
wrth agor drysau eu car mawr du:
'Ond mae angen i ddynion drwg, hyd yn oed,
fod yn dda weithiau.'

CYFANNU

(I M. Wynn Thomas yn 60 oed)

Mae gan bob un ei stori, am wn i,
dalennau gloyw rhwng dwy ddifancoll fawr,
ychydig ofod i groniclo cri
cyn cau am byth o'u golau rhwng dau glawr.
A hwyrach na fedr rhamant hanes un
gydsynio â gwyddoniaeth lem y llall,
na delfryd awdur a'i habertha'i hun
gytuno â rhyw bropagandydd dall.
Ond hwn a fynnodd weld y gweithiau oll
mewn trem synoptaidd ar y silffoedd llawn
heb fod y geiryn lleiaf iddo ar goll,
heb fod un sillaf nas adnabu'i ddawn,
gan ganfod undod mewn amrywiaeth pur
yng nghymod y cyfrolau ar y mur.

YN GENEDL DRACHEFN

(Addasiad o'r gân Wyddelig 'A Nation Once Again')

Mi glywais i yn blentyn bach
am wrthryfelwyr dewrion
a heriodd ormes, trais a brad
a dichell gwledydd mawrion,
a thyngais yn y fan a'r lle
y gwelwn i ryw ddydd,
ein cadwyn wedi'i thorri'n llwyr
a Chymru'n Gymru rydd.

A Chymru'n Gymru rydd!
A Chymru'n Gymru rydd!
Nid rhanbarth mwy, ond cenedl,
a Chymru'n Gymru rydd!

A byth ers hynny, drwy bob gwae,
bu'r gobaith hwn yn gliriach;
ac ni all llewyrch hafaidd serch
dywynnu yn ddisgleiriach.
Fe wyliodd wastad uwch fy mhen
mewn fforwm, ffos a ffridd,
a'i lais angylaidd ddydd a nos
yn addo Cymru rydd!

A Chymru'n Gymru rydd!
A Chymru'n Gymru rydd!
Nid rhanbarth mwy, ond cenedl,
a Chymru'n Gymru rydd!

Sibrydodd nad oedd gobaith gwlad
a'i thynged ddyrchafedig
i'w llygru gan amcanion cas
na thrachwant gwael sathredig.
Daw rhyddid o ddeheulaw Duw
a rhaid yw cadw ffydd,
a chyfiawn fydd y rhai sy'n gwneud
ein Cymru'n Gymru rydd!

A Chymru'n Gymru rydd!
A Chymru'n Gymru rydd!
Nid rhanbarth mwy, ond cenedl,
a Chymru'n Gymru rydd!

Ac wrth i minnau dyfu'n hŷn,
bûm ufudd i'r gorchymyn,
gan wrthod hunanoldeb gwan
a phob rhyw reddf esgymun,
gan fyw i weld yn agosáu
yr hyfryd awr pan fydd
ein gwlad yn genedl drachefn
a Chymru'n Gymru rydd!

A Chymru'n Gymru rydd!
A Chymru'n Gymru rydd!
Nid rhanbarth mwy, ond cenedl,
a Chymru'n Gymru rydd!

CAIS

Ysbryd, defnyddia fi heddiw,
nid mewn rhyw wyrth
a wna i eraill ryfeddu
gan fy ngwneud i yn falch.

Nid mewn gair o ddoethineb
a arhosa yn y meddwl
gan fy ngwneud i'n fythol gofiadwy.

Nid yn y weithred arwrol
a newidia'r byd er gwell
a minnau er gwaeth.

Eithr yng ngwyrthiau di-nod
gonestrwydd a gwirionedd
a geidw'r awyr rhag syrthio.

Yn y geiriau tawel anghofiedig
a geidw enaid ar y llwybr.

Ac yn y gweithredoedd disylw
a geidw'r byd i symud
bob amser yn nes at yr haul.